PARIS Y ES-TU ?

À Théo et mes amis...

Merci à Isabelle, Laurence
et toute l'équipe de Parigramme
ainsi qu'à Takako Hasegawa.

PARIS Y ES-TU ?

MASUMI

Parigramme

POUR VISITER PARIS, il est recommandé de ne pas avoir les yeux dans sa poche ; il y a tant de choses à voir ! Les grands monuments, bien sûr, mais aussi des détails qui passent facilement inaperçus quand on n'est pas assez observateur. Un petit garçon au foulard rouge, prénommé Théo, t'accompagnera durant la promenade. Il est présent dans chaque dessin : à toi de deviner l'endroit où il se tient. Pour tout arranger, imagine-toi que le pauvre a perdu son chien, Potchi, et qu'il le cherche de quartier en quartier : veux-tu l'aider à le retrouver ?

Ce n'est pas tout ! Tu remarqueras qu'un mot apparaît systématiquement en **noir** dans le texte correspondant aux différents lieux que nous visitons : il désigne un objet, un personnage ou un animal qui n'est généralement pas tout à fait à sa place. Là encore, tu dois mettre le doigt dessus.

Enfin, un ballon jaune semble aussi être de la partie. Le vois-tu ?

À toi de jouer, œil de lynx !

Musée du Louvre

Place de la Concorde

Place Charles-de-Gaulle,
avenue des Champs-Élysées

Place de l'Opéra

Gare Saint-Lazare

Montmartre

Toits de Paris

Canal Saint-Martin

Place de la Bastille

Le Marais

Musée Carnavalet

Piazza Beaubourg

Place de l'Hôtel-de-Ville

Parvis de Notre-Dame

Quais de Seine

Ménagerie du Jardin des Plantes

Arènes de Lutèce

Jardin du Luxembourg

Saint-Germain-des-Prés

Musée d'Orsay

Tour Eiffel et Champ-de-Mars

Métro aérien

Place Denfert-Rochereau

Château de Versailles

MUSÉE DU LOUVRE

Le Louvre fut d'abord une forteresse au Moyen Âge avant que François Iᵉʳ n'engage sa transformation en un véritable palais. Ce ne fut pas l'œuvre d'un seul homme : Henri IV termina la grande galerie longeant la Seine, Louis XIV fit construire la façade à colonnes donnant sur la ville, Napoléon Iᵉʳ s'occupa des bâtiments côté rue de Rivoli et Napoléon III fit achever le chantier. Aujourd'hui, le Louvre est l'un des plus grands musées du monde, sinon le plus grand. Il abrite de merveilleuses collections d'antiquités égyptiennes, grecques, romaines ou de tableaux français, hollandais, anglais, italiens… Le plus célèbre d'entre eux est certainement "**La Joconde**", de Léonard de Vinci. Tiens, tiens, on dirait qu'elle a quitté sa place…

PLACE DE LA CONCORDE

On a souvent dit que la place de la Concorde était la plus belle au monde ; en tout cas, c'est la plus grande de Paris. Au centre, se situe l'obélisque que connaissent bien tous les petits Parisiens. Ce monument, vieux de plus de 3 000 ans et couvert de hiéroglyphes, a été offert par l'Égypte en 1831. Il a fallu construire un bateau particulier pour le transporter jusqu'en France, puis des centaines d'hommes pour le redresser sur son socle avec un système compliqué de treuils et de poulies. Tu sais peut-être que, pour un **Égyptien**, un personnage se dessine avec la tête de profil et le torse de face. Au fait, ne remarques-tu rien d'inhabituel sur la place ?

PLACE CHARLES-DE-GAULLE
AVENUE DES CHAMPS-ÉLYSÉES

Sur la place, l'Arc de triomphe est une construction imposante que Napoléon Ier a voulue à la mesure de sa victoire dans la bataille d'Austerlitz. Le chantier fut cependant très long et l'Empereur était mort depuis longtemps quand l'arc fut inauguré en 1836. Il reste que le monument est devenu un des symboles de Paris, tout comme la prestigieuse avenue des Champs-Élysées, célèbre dans le monde entier. C'est là qu'ont lieu les défilés du 14-Juillet et que se sont souvent rassemblés les Parisiens à des moments importants de leur histoire. Après la finale de la Coupe du monde de football en 1998, des centaines de milliers de personnes vinrent y fêter la victoire des Bleus de l'équipe de France. Mais quel joueur a donc trouvé moyen de perdre son **ballon** ?

PLACE DE L'OPÉRA

L'Opéra de Paris est le temple de la danse et de la musique classiques. Son architecte, Charles Garnier, a voulu qu'il soit coloré, spectaculaire, éblouissant et il consacra quinze années de sa vie à sa construction. Marbres, colonnes, sculptures, mosaïques… rien n'était trop beau ! Passé l'entrée, un escalier majestueux conduit aux balcons dorés de la grande salle habillée de rouge. Quel spectacle ! C'est ici que brillent les danseuses étoiles. Au fait, sais-tu pourquoi une toute jeune **danseuse** est surnommée « petit rat » ? Parce que le bruit de ses chaussons sur le parquet ressemble à celui de la course d'un rongeur. Oh ! on dirait qu'une petite pensionnaire a envie de prendre l'air…

GARE SAINT-LAZARE

C'est ici qu'a été ouverte aux voyageurs la première ligne de chemin de fer : c'était en 1837 et il s'agissait de relier Paris à Saint-Germain-en-Laye. Quelle aventure ! La gare Saint-Lazare est la gare parisienne qui voit passer le plus de monde chaque jour : près de 500 000 personnes. Si elle dessert essentiellement la banlieue, elle fut aussi – avant l'aviation de ligne – le plus court chemin pour l'Amérique. Un petit voyage jusqu'au Havre et hop ! il ne restait plus qu'à sauter dans un paquebot. Mais quelle que soit la destination, l'important est de partir à l'heure, n'est-ce pas ? Une grande **horloge** peut être bien utile…

MONTMARTRE

Il y a comme un petit air de village ici… Sommes-nous vraiment à Paris ? On a d'ailleurs souvent dit qu'il y avait plus de Montmartre dans Paris que de Paris dans Montmartre car c'est avec le plâtre des carrières de Montmartre que de nombreux immeubles parisiens ont été construits. Perché sur sa butte, le village, qui a conservé ses rues étroites et ses jolies maisons, attire une foule de touristes. C'est pour eux que peintres et dessinateurs campent en permanence sur la place du Tertre. Ne serait-ce pas la **tour Eiffel** peinte sur un de leurs tableaux ?

TOITS DE PARIS

Toutes les nuances de gris se distinguent dans le ciel et se retrouvent sur les toits. Couverts d'ardoises parfois, mais de zinc le plus souvent, ils moutonnent à l'infini quand on a la chance de pouvoir les découvrir d'en haut. C'est beau comme la mer, tu ne trouves pas ? Et surtout calme ! Le vacarme de la rue ne parvient que très assourdi dans les hauteurs ; est-ce pour cette raison que les oiseaux y trouvent volontiers refuge ? Parfois, il y a même un **chat** (de gouttière, bien sûr) qui leur rend visite.

CANAL SAINT-MARTIN

Ce canal qui relie le bassin de la Villette au port de l'Arsenal, sur la Seine, a été mis en service en 1825. Avec le canal de Saint-Denis, il formait un raccourci évitant aux bateaux une large boucle de la Seine et facilitait la navigation en épargnant aux mariniers de manœuvrer sous les ponts encombrés de pompes et de moulins. Aujourd'hui, la navigation de plaisance a pris le pas sur le transport des matériaux. Attention à ne pas glisser dans le bassin ; une bonne **bouée** peut rendre bien des services…

PLACE DE LA BASTILLE

La Bastille fut d'abord une forteresse pour défendre Paris, puis une prison. On pouvait y être expédié simplement pour avoir eu l'imprudence de s'opposer au roi ; une simple lettre permettait « d'embastiller » les fortes têtes… aussi longtemps que le souhaitait le souverain. Il ne reste rien de ce sinistre monument car il a été entièrement détruit au début de la Révolution française, en juillet 1789. Sur la place, la colonne de Juillet est surmontée d'une statue en bronze doré représentant le **génie de la Liberté** tenant dans la main gauche une chaîne brisée et dans la droite un flambeau. Mais d'ailleurs, où est-il passé ?

LE MARAIS

Le quartier du Marais tient son nom des champs cultivés et des jardins (des cultures maraîchères, donc) qui ont longtemps prospéré sur ces terrains fertiles en bord de Seine. Les choses ont évidemment changé quand les rois de France se sont établis dans le secteur ; à leur suite, nobles et personnages fortunés ont fait construire de belles maisons appelées hôtels particuliers. Après avoir été laissé à l'abandon un long moment, le Marais a été restauré et de nombreux immeubles ont été sauvés de la démolition. Il ne s'y trouve cependant plus guère de princes et il reste très improbable d'y découvrir le moindre **carrosse**…

MUSÉE CARNAVALET

Nous sommes dans l'un des plus beaux hôtels particuliers du Marais. Il a appartenu à l'épouse d'un certain Kernevenoy dont le nom s'est déformé au fil du temps en Carnavalet, plus facile à prononcer. L'hôtel abrite aujourd'hui un musée passionnant qui raconte toute l'histoire de Paris de la préhistoire à nos jours ; les célèbres pirogues datant du néolithique, trouvées à Bercy lors du réaménagement des berges, sont notamment exposées. Il reste encore beaucoup à découvrir, par exemple une formidable collection d'enseignes dont celle – **À l'orme Saint-Gervais** – qui annonçait la boutique d'un quincaillier.

PIAZZA BEAUBOURG

Le Centre Georges-Pompidou abrite une bibliothèque, des salles de concert, des ateliers... mais surtout le très grand musée d'Art moderne. Le bâtiment ne cherche pas à cacher ce qu'on s'efforce en général de dissimuler : ici, les tuyaux, les câbles et les ascenseurs sont à l'extérieur, bien visibles et peints de couleurs vives. Vert pour l'eau, bleu pour l'air, jaune pour l'électricité : on ne peut pas confondre !
La piazza (ou place) devant l'édifice est toujours très animée : jongleurs, guitaristes, clowns ou caricaturistes s'efforcent d'attirer l'attention des promeneurs. Il arrive même qu'on entende le chant d'un **violon**...

PLACE DE L'HÔTEL-DE-VILLE

Cet imposant bâtiment est le siège de la mairie de Paris. Cela fait très longtemps – depuis le XIVe siècle – que la municipalité est installée ici. L'endroit n'a pas été choisi au hasard : la place de l'Hôtel-de-Ville, qui s'appelait autrefois la place de Grève, était en effet au centre de la vie des Parisiens. C'est là qu'on venait chercher du travail, qu'on traitait les affaires, qu'avaient lieu les fêtes et les défilés. Côté Seine, on peut voir une statue à cheval d'Étienne Marcel, qui fut le premier maire de la ville. À propos de maire, quelqu'un n'aurait-il pas retrouvé une **écharpe tricolore** ?

PARVIS DE NOTRE-DAME

La grande cathédrale en impose avec ses deux tours hautes de 70 mètres. Au Moyen Âge, on voulait montrer la grandeur de Dieu et la profondeur de sa foi par des constructions majestueuses. Nous ne voyons pas Notre-Dame de Paris aujourd'hui telle qu'elle était car sa façade était peinte de couleurs vives, qui ont désormais disparu. Par ailleurs, la grande place – le parvis – qui la précède est une réalisation assez récente. Au Moyen Âge, on découvrait soudainement la cathédrale au détour d'une rue étroite : elle n'en paraissait que plus grande ! Une chose est sûre : il y a toujours eu un carillon. Enfin, quand la **grosse cloche** ne se sauve pas !

QUAIS DE SEINE

Prêt pour une promenade au bord de l'eau ? C'est l'occasion de découvrir les plus beaux monuments de Paris en marchant tranquillement, bien à l'abri de la circulation. On s'amuse à saluer les touristes en bateau-mouche, à regarder les péniches ou les vedettes rapides de la brigade fluviale. On y croise des promeneurs de chiens et on prend bien soin de ne pas déranger les amoureux sur leur banc ou les pêcheurs à la ligne regardant fixement des bouchons qui s'enfoncent rarement. Où le **poisson** peut-il bien se cacher ?

MÉNAGERIE DU
JARDIN DES PLANTES

Ce petit zoo est certainement un monument historique puisqu'il a été créé en 1793 avec les quelques pensionnaires retrouvés dans la ménagerie de Versailles : un lion, un rhinocéros et un zèbre. D'autres animaux les rejoignirent quand on décréta que les montreurs d'ours ou de singes ne pouvaient plus se promener librement dans les rues de Paris. Enfin, le grand événement fut l'arrivée en 1827 d'une girafe dont l'Égypte fit cadeau à la France ; les Parisiens vinrent en foule admirer l'étrange animal. Aujourd'hui, de belles collections de rapaces, de reptiles, d'insectes ou d'amphibiens sont présentées. Mais, n'est-ce pas un **singe** qui vient de sortir de sa cage ?

ARÈNES DE LUTÈCE

Paris s'appelait autrefois Lutèce, et la ville, comme le reste de la Gaule, était dirigée par Rome. Les ingénieurs romains tracèrent des rues, aménagèrent un port et bâtirent de nombreux monuments, dont ces arènes qui pouvaient accueillir près de 17 000 personnes. On y donnait des pièces de théâtre… ou des spectacles plus cruels quand les gladiateurs s'affrontaient à mort ou combattaient contre des bêtes sauvages. Attention, un **lion** s'est échappé !

JARDIN DU LUXEMBOURG

Magnifique jardin du Luxembourg ! Il dépend du palais du même nom, construit pour Marie de Médicis, épouse de Henri IV. À son époque, le jardin était d'ailleurs encore plus grand qu'il ne l'est aujourd'hui. Mais il est bien assez vaste pour s'y promener longuement en regardant les statues des reines de France ou s'y attarder en dénichant un petit coin tranquille. Le Luxembourg a plusieurs visages : c'est à la fois un jardin à la française aux allées bien droites et un jardin à l'anglaise, c'est-à-dire imitant davantage la nature. C'est dans ce dernier secteur qu'un véritable rucher et ses abeilles est installé. Mais rassure-toi : aucun **ours**, même si chacun sait qu'ils sont très amateurs de miel, ne traîne dans les environs…

SAINT-GERMAIN-DES-PRÉS

À l'ombre du clocher de Saint-Germain-des-Prés s'est développé au Moyen Âge le monastère le plus important de Paris. Puis, c'est tout un village qui s'est formé et qui a fini par devenir un quartier de Paris. Longtemps – c'est un peu moins vrai aujourd'hui – ce fut le lieu par excellence où se retrouvaient, dans les cafés, intellectuels, écrivains et éditeurs. Tiens, on dirait qu'un étourdi a oublié son **livre** !

MUSÉE D'ORSAY

Tableaux, sculptures, photographies... le splendide musée d'Orsay est le représentant de l'art du XIXᵉ siècle : on y admire notamment les œuvres des impressionnistes qui ont révolutionné la manière de peindre et de voir.
Mais savais-tu qu'avant d'être un musée, ce lieu a été une gare ? Construite en 1898-1900, elle fut même la plus luxueuse des gares parisiennes... mais pas la plus pratique car elle devint rapidement trop petite. C'est ainsi qu'elle fut fermée et, plus tard, transformée. La peinture a pris la place du **train**...

TOUR EIFFEL ET CHAMP-DE-MARS

Qui imaginerait Paris sans tour Eiffel ? Construite par l'ingénieur Gustave Eiffel, elle fut le plus haut bâtiment jamais élevé par l'homme (300 mètres) ; elle est en fer car un monument en pierre de cette taille se serait écroulé sous son propre poids. Mais la tour fut plusieurs fois menacée de démolition car on la trouvait très laide ; elle fut définitivement sauvée quand elle eut une vraie - utilité. Elle devint ainsi une merveilleuse antenne pour le télégraphe puis la radio. Aujourd'hui, elle sert d'émetteur pour les chaînes de télévision. Mais il n'est nullement nécessaire d'apporter son **téléviseur** au Champ-de-Mars pour suivre son émission favorite ; la tour Eiffel se fait un plaisir de livrer à domicile !

MÉTRO AÉRIEN

La plupart du temps, le métro parisien se fait très discret ; il circule en sous-sol et n'est pas visible de la surface. Pour un peu, on ne saurait même pas qu'il existe ! Mais, parfois, il se montre au grand jour, comme sur les lignes 2 et 6. Il faut dire que ces deux lignes suivent des boulevards assez larges pour que deux voies ferrées soient construites au milieu : travaux et frais du percement d'un tunnel ont pu être ainsi évités. En prime, on peut voyager à l'air libre de temps en temps et confortablement installés : on fait alors le tour de Paris pour le prix d'un simple **ticket de métro**…

PLACE DENFERT-ROCHEREAU

Au milieu de la place, il est difficile de ne pas voir ce lion noble et magnifique. C'est le *Lion de Belfort*, symbole de la ville de Belfort, dans l'est de la France. Le monument rend hommage à la ville pour sa résistance aux Allemands pendant plus de cent jours lors de la guerre de 1870. Grâce à son grand courage et à la défense organisée par le colonel Denfert-Rochereau, Belfort est restée française quand l'Alsace et la Lorraine étaient intégrées à l'Allemagne. Un lion aussi majestueux ne saurait avoir peur de quiconque… et sûrement pas d'une petite **souris** !

CHÂTEAU DE VERSAILLES

Louis XIV n'aimait pas Paris. Dès le début de son règne, et contre l'avis de ses conseillers, il fit agrandir ce qui n'était qu'un simple pavillon de chasse perdu dans des marécages. Ensuite vinrent l'aménagement des jardins et des fontaines, le creusement d'un canal et de bassins, le développement, encore et toujours, du château. Louis XIV voulait qu'il soit le plus beau, le plus grand d'Europe, à l'image de sa toute-puissance de Roi-Soleil. Palais de la **couronne** de France, Versailles fut aussi la vraie capitale du pays jusqu'à la fin de la monarchie.

Direction artistique Isabelle Chemin
Maquette Marylène Lhenri
Édition Laurence Solnais

Photogravure Alésia Studio, à Paris

Achevé d'imprimer en janvier 2011 sur les presses de l'imprimerie Mame, à Tours

Dépôt légal : mai 2006
ISBN : 978-2-84096-445-2

Loi n° 49-956 du 16 juillet 1949 sur les publications destinées à la jeunesse